D1048505

Princesse Lucie

et Truffe-Caramel

Cet ouvrage a initialement paru en langue anglaise en 2008
chez Orchard Books sous le titre :
Princess Lucy and the Precious Puppy.

Adapté de l'anglais par Natacha Godeau

Mise en page et colorisation : Valérie Gibert et Philippe Sedletzki

Hachette Livre, 43 quai de Grenelle, 75015 Paris

Vivian French

Princesse Lucie

et Truffe-Caramel

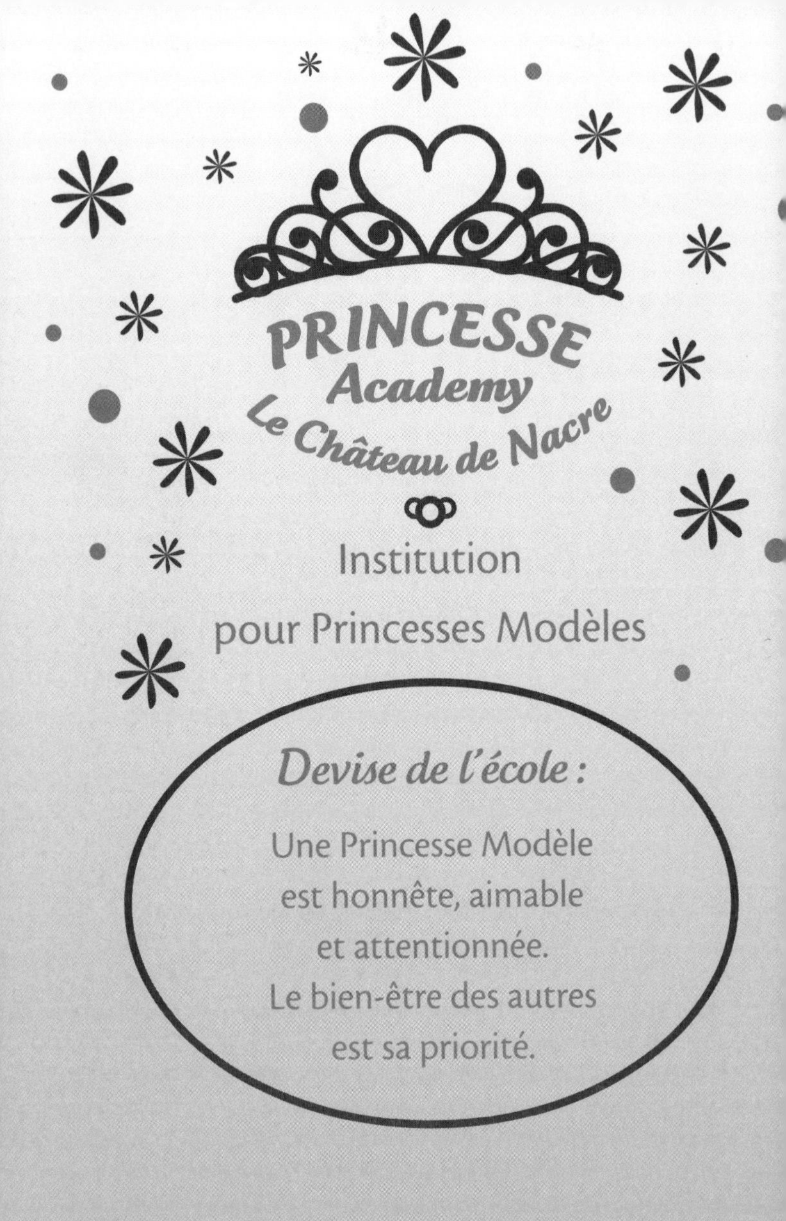
PRINCESSE
Academy
Le Château de Nacre
Institution
pour Princesses Modèles
Devise de l'école :
Une Princesse Modèle
est honnête, aimable
et attentionnée.
Le bien-être des autres
est sa priorité.

Le Château de Nacre dispense un enseignement complet, éducation artistique comprise, à l'usage des princesses du Club du Diadème.
Notre programme inclut :

- Championnat d'Athlétisme Princier
- Excursion aux Monts Légendaires
- Stage d'écriture pour la Cérémonie du Cygne d'Argent
- Visite du Musée de la Musique du Roi Rudolphe III

* * *

Notre directeur, le Roi Édouard, habite l'aile principale du Château. Nos élèves sont placées sous la surveillance de l'Enchanteresse en Chef Marraine Fée, et de son assistante Fée Angora.

Notre équipe compte entre autres :

- La Reine Marjorie
(Éducation Sportive)
- Lady Hortense
(Secrétaire de Direction)
- Lord Henri
(Sciences de la Nature)
- La Reine Mère Matilda
(Maintien, Bonnes Manières et Art Floral)

Les princesses du Club du Diadème
reçoivent des Points Diadème afin
de passer dans la classe supérieure.
Celles qui cumulent assez de points
au Château de Nacre accèdent
au Bal de Promotion, au cours
duquel elles se voient attribuer
leur prestigieuse Écharpe de Nacre.
Les princesses promues intègrent
alors en cinquième année
le Manoir d'Émeraude,
notre établissement de très haut
niveau pour Princesses Modèles,
afin d'y parfaire leur éducation.

Le jour de la rentrée,
chaque princesse est priée
de se présenter à l'Académie
munie d'un minimum de :

• Vingt robes de bal (avec dessous assortis)
• Cinq paires de souliers de fête
• Douze tenues de jour
• Trois paires de pantoufles de velours
• Sept robes de cocktail
• Deux paires de bottes d'équitation
• Douze diadèmes, capes,
manchons, étoles, gants,
et autres accessoires indispensables.

Bienvenue !
Je suis Princesse Lucie, de la Chambre des Lys.
Quelle chance que tu m'accompagnes
au Château de Nacre !
Tu es une vraie Princesse Modèle,
comme mes amies Anna, Isabelle, Inès,
Emma et Sarah.

On ne peut pas en dire autant des jumelles
Précieuse et Perla. Ce sont d'horribles pestes...
Mais pourtant, quelque chose m'embête
encore plus que leurs méchancetés :
le Championnat d'Athlétisme Princier !

À Princesse Gayathri, avec toute mon affection, V.F.
Remerciements spéciaux à J.D.

Chapitre premier

Tu aimes le sport, toi ? Parce que moi, j'ai horreur de ça !

Ne le répète à personne, surtout. Mais chaque fois qu'on me lance un ballon, j'ai peur de le recevoir dans la figure. Je suis

nulle en saut, aussi. Et je m'emmêle les pieds dès que je commence à courir. C'est une catastrophe !

Avant, avec Marraine Fée ou Fée Angora, ça ne m'embêtait pas trop. Leurs cours m'amusaient, même ! Mais ici, au Château de Nacre, c'est différent. Nous avons un vrai professeur de sport : la Reine Marjorie. Une championne !

Entre nous, nous l'appelons : Marjolympique. Elle n'est jamais fatiguée ! Elle me crie tout le temps : « Attention à la balle ! Plus vite, Lucie ! On se dépêche ! »

Quand je tombe, elle m'oblige à me relever tout de suite.

Mais ça ne m'aide pas beaucoup. Car plus le Championnat d'Athlétisme approche, plus je panique...

Ce matin, à l'entraînement, j'ai cassé mon œuf pendant la Course à la Cuillère. J'ai renversé toutes les haies de la Course d'Obstacles. Et j'ai fini dernière en Saut en Longueur... La Reine Marjorie a ordonné :

— Princesse Lucie ! Dans mon bureau en fin de journée !

Et depuis, je m'inquiète. Elle va me punir, c'est sûr !

En sortant de Mathématiques Royales, notre dernier cours de l'après-midi, mes amies de la Chambre des Lys essaient de me rassurer.

— Ne t'en fais pas, Lucie, dit

Anna. Tu auras des leçons de rattrapage, c'est tout.

— Tu veux qu'on vienne avec toi ?

— Oh oui, merci, Isabelle !

Vous pourriez m'attendre dans le couloir... Ça me donnera du courage !

Le bureau de la Reine Marjorie est à l'autre bout de l'école. En y allant, j'ai de plus en plus peur...

Et si elle avait décidé de me retirer des tas de Points Diadème ? Oh là là ! Ça risquerait d'empêcher la Chambre des Lys de remporter le championnat.

Je frappe à la porte du bureau en tremblant...

— Entrez ! répond la Reine Marjorie d'une voix forte.

Je tourne lentement la poignée

en murmurant pour m'encourager :

— « Une Princesse Modèle agit toujours avec bravoure ! »

J'entre timidement dans l'immense pièce. Et je m'immobilise, émerveillée. À côté du bureau de mon professeur, un chiot adorable dort roulé en boule dans un panier.

— Ah, Princesse Lucie ! Merci d'être venue !

Elle remarque que je ne quitte pas le petit chien des yeux. Elle ajoute en souriant :

— Voici Truffe-Caramel ! Je m'en occupe quelques jours

pendant que ma mère est en voyage. Il est mignon, n'est-ce pas ?

— Oh oui, alors !

— Mais attention : quand il est réveillé, il ne fait que des bêtises !

Elle se lève pour prendre un verre avant de continuer :

— J'ai convoqué deux autres élèves. Je vous sers un jus d'orange en les attendant ?

— Volontiers, Votre Majesté ! je bredouille.

Je suis tellement surprise, moi qui croyais me faire gronder... Je fronce les sourcils, angoissée. La Reine Marjorie s'exclame :

— Quelle tête vous faites, Princesse Lucie ! Je ne vais pas vous manger ! Je veux juste vous parler du Championnat.

C’est bien ce que je craignais, justement ! Ma gorge se resserre, j’ai envie de pleurer.

— Je suis désolée, Votre Altesse. Le sport ne...

— Calmez-vous. Il ne s'agit pas de ça.

À cet instant, quelqu'un frappe à la porte…

Chapitre deux

— Entrez ! répond la Reine Marjorie.

Tu ne devineras jamais qui nous rejoint alors dans le bureau : ces pestes de Précieuse et Perla ! En m'apercevant, Perla grimace.

— Lucie ? Qu'est-ce que tu fais là ?

Elle poursuit en ricanant méchamment :

— *Nous*, la Reine Marjorie veut nous confier une mission spéciale. Mais toi, tu t'es fait prendre en train de tricher, je parie ?!

— Taisez-vous ! l'interrompt sévèrement la Reine Marjorie. Je vous ai convoquées toutes les trois pour vous faire une proposition.

Elle se rassoit à son bureau.

— Comme vous le savez, notre Championnat d'Athlétisme a lieu vendredi. Il comporte cinq épreuves : Saut en Longueur, Saut en Hauteur, Course à la Cuillère, Course d'Obstacles et Cent Mètres.

Nous hochons la tête. Elle poursuit :

— L'équipe qui aura cumulé le plus de points à la fin de la dernière épreuve remportera la

Coupe du Château de Nacre.

Je me sens rougir comme une pivoine. Avec moi, l'équipe de la Chambre des Lys n'a aucune chance de gagner !

La Reine Marjorie voit que je suis gênée. Elle sourit.

— Aucune de vous trois n'est vraiment douée en sport, n'est-ce pas ?

Je rougis encore plus. Perla hausse un sourcil, l'air hautain.

— Mère dit qu'une Princesse Modèle n'a pas besoin de savoir courir le Cent Mètres. Pas vrai, Précieuse ?

— Archivrai ! Elle dit aussi que

la Course d'Obstacles fait gonfler les chevilles !

À ces mots, notre professeur éclate de rire.

— Ah ! Ah ! Ah ! C'est trop drôle ! Je comprends pourquoi vous ne vous donnez jamais

aucun mal, vous deux ! Au moins, Lucie fait des efforts...

Les jumelles me fusillent du regard. Elles sont jalouses mais tant pis. Moi, je suis plutôt contente du compliment.

— Voici donc ma proposition, reprend la Reine Marjorie. Il me faudra de l'aide, le jour du Championnat. Acceptez-vous d'être mes assistantes ?

— Au lieu de participer aux épreuves ? je demande, pleine d'espoir. Oh oui ! J'accepte !

— Excellent, Princesse Lucie. Et vous, Princesses Précieuse et Perla ?

— Ça dépend... hésite Perla.

— Mère n'approuvera pas, si c'est indigne d'une princesse ! renchérit sa sœur jumelle.

Notre professeur semble choquée.

— Vous pensez sincèrement que je pourrais vous demander une telle chose ?

Elle secoue la tête et explique :

— C'est le Roi Édouard, notre directeur, qui se chargera de compter les Points Diadème de chaque équipe. Il faudra que des messagères lui portent les résultats au fur et à mesure. Seriez-vous prêtes à remplir cette mission ?

— Non ! proteste Perla. Que deviennent nos points *à nous* ? Le règlement est très clair : « les Points Diadème récompenseront les performances des participantes »... pas des simples messagères ! Ce n'est pas juste !

Cette fois, la Reine Marjorie perd patience. Elle répond d'un ton sec :

— Faites bien votre travail, et vous obtiendrez vous aussi des Points Diadème. Mais bien sûr, dans le cas contraire... vous en perdrez !

Perla lève le nez avec orgueil.

— Mère pense que notre présence suffit à rendre le moindre événement absolument inoubliable. Alors, nous acceptons votre proposition !

— Dans ce cas, le problème est réglé. Rendez-vous toutes les trois au terrain de sport vendredi matin, juste avant le début de la compétition. Je vous donnerai vos instructions.

Notre professeur quitte son fauteuil pour aller ouvrir la porte. Nous nous inclinons respectueusement.

— Merci, Votre Majesté !

Puis nous sortons dans le couloir. Précieuse et Perla se chuchotent quelque chose à l'oreille en me fixant d'un air moqueur. Et ces pestes font exprès de parler assez fort pour que je les entende !

— Ces vantardes de la Chambre des Lys se prennent pour les

meilleures ! persifle Perla. Elles croient qu'elles vont gagner le Championnat. Quelles idiotes ! Comme si on allait les laisser faire... Au contraire, j'ai hâte de les voir perdre !

Et elle entraîne sa sœur en pouffant.

Chapitre trois

Décidément, elles ne changeront jamais, ces deux-là !

Je pousse un gros soupir et je me dépêche de rejoindre mes amies, au bout du couloir.

— C'est formidable, je suis dispensée de Championnat ! À la

place, je serai l'assistante de la Reine Marjorie. Je pourrai même remporter des Points Diadème si je travaille bien. La Chambre des Lys a de vraies chances de gagner, maintenant !

— Bravo, Lucie ! me félicite Anna en me serrant dans ses bras. Allons vite nous entraîner...

Hip ! Hip ! Hip ! Hourra pour la Chambre des Lys !

Nous nous rendons ensemble au stade et enfilons nos tenues de sport dans les vestiaires. J'en profite pour décrire à mes amies le merveilleux chiot que j'ai vu dans le bureau de notre professeur.

— Il s'appelle Truffe-Caramel. Il est adorable ! La Reine Marjorie le garde quelques jours pour sa mère. Il paraît qu'il fait plein de bêtises.

— Mais le Roi Édouard est allergique aux animaux, pourtant ! s'étonne Inès.

Je hausse les épaules.

— Peut-être juste aux chats ?

Je n'oublierai jamais comment Noires-Moustaches le faisait éternuer !

De toute façon, le roi interdit les animaux domestiques dans l'école.

— Alors, la Reine Marjorie a dû obtenir une permission spéciale, je conclus.

— Moi, j'adore son nom : Truffe-Caramel, c'est tellement mignon ! Et si on proposait à la Reine Marjorie d'aller le promener ?

— Pas le temps, Sarah ! lance alors Anna en sortant un chronomètre de sa poche. L'entraînement nous attend !

Quelle fatigue ! Même moi, je n'en peux plus... Et je n'ai fait que surveiller le chrono !

Nous nous écroulons toutes dans le canapé de la Salle de Jeux. Manque de chance, ces affreuses pestes de Précieuse et Perla sont là, elles aussi.

— Oh, regarde, Précieuse ! La bande des Lys Ridicules a encore couru le Cent Mètres ! Elles sont tout essoufflées et transpirantes ! Beurk ! De vraies princesses ne se montreraient jamais dans cet état.

— Non, jamais ! pouffe sa sœur.

— De vraies Princesses Modèles ne se moqueraient pas *non plus* tout le temps des autres !

rétorque Anna avec colère.

— Mieux vaut les ignorer, je lui conseille. Montons nous changer pour le dîner !

Peu après, nous descendons au Réfectoire, nous croisons Marraine Fée dans l'escalier. Elle porte une pile de dentelle dorée et de satin blanc.

— Bonjour, mes enfants ! Que pensez-vous de ces décorations pour la Salle de Bal ?

Nous la regardons sans comprendre.

— Vous n'êtes donc pas au courant ? s'étonne l'Enchanteresse.

Nous faisons non de la tête. Un large sourire se dessine sur ses lèvres.

— Notre bon Roi Édouard a décidé d'organiser un grand bal

en l'honneur du Championnat d'Athlétisme Princier !

Elle nous adresse un clin d'œil complice avant de préciser :

— Il a sans doute deviné que cela ne vous déplairait pas !

Nous sommes folles de joie. Inès applaudit.

— Ça fait longtemps que nous n'avons pas dansé ! Je vais enfin pouvoir remettre ma robe de soie.

— Et quand aura lieu ce bal, Marraine Fée ? Le soir du Championnat ?

— Exactement, Princesse Emma. Le Roi Édouard annoncera d'ailleurs le nom de l'équipe gagnante juste avant la fête !

Elle sourit de nouveau. Puis elle s'éloigne en fredonnant.

Je reconnais les premières notes
de notre valse préférée…

Chapitre quatre

Ça y est ! Le grand jour est arrivé !

Le Championnat d'Athlétisme Princier va bientôt commencer...

Quand je me réveille, ce matin, mes amies sont déjà debout. Et habillées !

— Pourquoi vous vous êtes levées si tôt? je dis en bâillant.

— Nous sommes trop angoissées pour dormir! répond Isabelle, catastrophée. Je sens que je vais rater la Course d'Obstacles!

Je hausse les sourcils avec étonnement.

— Il n'y a aucune raison. À l'entraînement, tu as fait un sans-faute.

— Seulement, aujourd'hui, des tas de gens vont nous regarder! intervient Emma, paniquée. Je ferai tomber mon œuf de sa cuillère dès le signal de départ, c'est certain.

— Bien sûr que non. Tout se passera bien.

Pas facile de les rassurer ! Sarah soupire :

— Oui, je sais : « Une Princesse Modèle doit apprendre à perdre avec dignité »... Mais je voudrais *tellement* que la Chambre des Lys remporte la Coupe !

Je me lève et suggère :

— Si on descendait prendre notre petit-déjeuner ? Ça ira sûrement mieux après.

Sauf que nous avons toutes l'appétit coupé par la peur !

Même moi, je tremble en me rendant peu après au terrain de sport avec mes amies...

Le stade est très impressionnant : les gradins, les banderoles, les ballons, l'immense arche fleurie à l'arrivée du Cent Mètres !

Et tout ce monde qui s'active pour les derniers préparatifs !

La Reine Marjorie s'occupe de mille choses à la fois. Lady Hortense court partout en agitant les listes des concurrentes. La Reine Mère Matilda utilise son porte-voix pour crier avec impatience :

— Quand dois-je donner le top départ de la première épreuve ?

— À dix heures tapantes, Votre Majesté. Pas avant.

Lady Hortense est aussi sévère que d'habitude ! Tout à coup,

j'entends quelqu'un m'interpeller discrètement :

— Psst ! Princesse Lucie ! Par ici, je vous prie...

Je me retourne. La Reine Marjorie, cachée dans un coin du

stade, me fait signe d'approcher.

— Que se passe-t-il, Votre Altesse ?

—J'ai un gros problème, Lucie ! J'aurais besoin de votre aide !

Elle vérifie que personne ne nous écoute et reprend à voix basse :

— Vous vous souvenez de Truffe-Caramel, le petit chien de ma mère ?

— Et comment !

— Eh bien, ce coquin s'est sauvé de mon bureau ! J'ai dû mal refermer la porte... Il faut absolument le retrouver. Mais le Championnat ne va pas tarder à commencer. Auriez-vous la gentillesse de le chercher à ma place ?

Elle ajoute, très ennuyée :

— Si vous vous occupez de Truffe-Caramel, vous ne pourrez

pas être ma messagère… ni recevoir de Points Diadème. Je suis désolée !

Elle rougit de honte et s'explique :

— Le Roi Édouard ne doit surtout pas apercevoir Truffe-Caramel. Il ne sait pas que je le garde à l'école... Pour une semaine, j'ai pensé que ce n'était pas la peine de le lui dire. Mais, maintenant, je dois vous demander ce grand service…!

Tu t'en doutes, je suis plutôt surprise. Et je me rappelle soudain qu'une Princesse Modèle aide toujours son prochain sans hésiter... même si elle doit sacrifier ses Points Diadème !

— Rassurez-vous, Votre Majesté. Je ferai tout mon possible pour retrouver Truffe-Caramel !

Et je rentre fouiller le Château de Nacre au plus vite. Mais au moment où j'arrive dans l'allée, je croise Précieuse et Perla en train de comploter. J'entends même Précieuse gémir tout bas :

— Je lui ai ouvert, comme tu me l'as dit. Et puis il s'est mis à courir ! Ce n'est pas ma faute, s'il s'est échappé, je...

— Chut ! la coupe Perla. Voilà Lucie !

Elle se force à sourire et me lance :

— Tiens, bonjour ! Tu as oublié

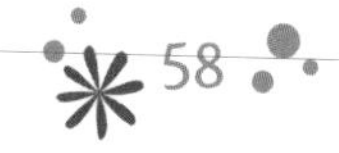

notre rendez-vous avec la Reine Marjorie ?

— J'ai quelque chose d'autre à faire d'abord ! je m'exclame.

Je fonce vers le perron de l'école... et je bouscule le Roi Édouard qui sort au même instant !

— Princesse Lucie ! se fâche-t-il. Puis-je savoir pourquoi vous revenez au château au lieu de vous rendre au Championnat ?

— Heu... Eh bien, Votre Altesse, je... Je...

C'est affreux ! Je ne sais pas quoi répondre ! Finalement, je balbutie :

— J'ai oublié mes baskets dans ma chambre.

— Cette étourderie vous coûtera cinq Points Diadème,

Princesse ! me gronde le directeur. Je veux vous voir au stade dans cinq minutes !

— Oui, Votre Majesté !

J'exécute une révérence rapide, puis je me précipite dans le vestibule. Pourvu que le Roi Édouard n'ait pas remarqué que j'ai déjà mes baskets aux pieds !

Chapitre cinq

— Attention ! Pour l'épreuve de Saut en Longueur... Les concurrentes en place, s'il vous plaît !

Grâce à son porte-voix, j'entends la Reine Mère Matilda depuis le château. Je croise les

doigts pour mes amies, quand Truffe-Caramel déboule dans le hall en jappant !

Il sautille autour de moi, il me demande de jouer !

— Te voilà ! je m'exclame, rassurée.

Ouf ! Il ne s'est pas perdu !

J'ai compris : Précieuse et Perla l'ont fait sortir exprès du bureau de la Reine Marjorie. Il faut toujours qu'elles trouvent un moyen d'embêter les autres... Je tends la main vers son collier. Mais Truffe-Caramel fait un bond en arrière !

— Gentil toutou ! j'essaie de l'amadouer. Viens ici, petit petit !

Rien à faire. Si je m'approche, il recule. Si je m'éloigne, il revient vers moi en virevoltant joyeusement... Mais jamais assez près pour que je l'atteigne ! Quel malin !

Il finit par m'attirer dehors. J'ai peur qu'on nous voie ! Puis, il retourne vers le perron, s'assoit et me fixe d'un air de défi : « Attrape-moi-si-tu-peux ! »

Comme si c'était le moment de jouer !

Je réfléchis... À mon tour de ruser ! Je l'imite, je m'assois à côté de lui, puis je commence à lui parler d'une voix très douce. Intrigué, il fait un pas vers moi... Puis un autre... Et encore un autre...

Il faut que je sois vraiment patiente !

Au loin, la Reine Mère Matilda a le temps d'annoncer une par une les épreuves de Saut en Hauteur, de Course à la Cuillère et de Course d'Obstacles... et Truffe-Caramel a avancé de quelques centimètres à peine !

— Brave petit chien ! j'insiste d'un ton très doux. Viens faire un câlin...

Il renifle mes mains... Je vais bientôt pouvoir le prendre !

— Tu y es presque ! je chuchote encore. Viens un peu plus près... Oui, approche, mon tout beau...

Plus qu'un effort et... BADA-CLANG !

Un énorme bruit vient de la cuisine de l'école ! On dirait que dix mille assiettes se sont écrasées par terre !

Truffe-Caramel, terrorisé, s'enfuit à toute vitesse !

Je m'élance à ses trousses dans le parc du Château de Nacre.

— Dire que je suis nulle en course à pied ! je me lamente, déjà essoufflée.

Mais il ne faut pas y penser. Je me concentre sur Truffe-Caramel, je ne dois pas me laisser distancer.

Il file à travers la foule de professeurs et d'élèves qui assistent à la compétition. Je le poursuis,

affolée. S'il m'échappe, je risque de ne plus jamais le retrouver !

Je cours, cours de plus en plus vite.

Tout à coup, je m'aperçois qu'un groupe de filles court aussi dans le même sens que moi. Et autour de nous, des gens pous-

sent des cris d'encouragement...

Mon cœur bat à cent à l'heure !

J'ai l'impression que je vais m'évanouir... lorsque Marraine Fée surgit en travers de notre route ! Elle agite sa baguette magique et Truffe-Caramel s'envole dans un nuage d'étoiles.

— Yip ! Yip ! Yip ! aboie-t-il gaiement.

Il exécute un saut périlleux, et atterrit sain et sauf dans les bras de la Reine Marjorie !

Emportée par mon élan, je cours encore quelques mètres

avant de m'arrêter, pliée en deux, hors d'haleine. Je reprends peu à peu mon souffle. Puis je me redresse et...

Tu ne le croiras jamais !

Je suis au poteau d'arrivée du Cent Mètres ! Je viens de franchir la ligne !

Dans les gradins, des dizaines de Princesses m'acclament !

Sur la piste, Anna, Isabelle, Inès, Emma et Sarah m'entourent.

— Bravo, Lucie ! Tu as gagné la course !

— Pardon ?

— Tu viens de remporter le Cent Mètres, Lucie !

Quel choc ! Moi, l'une des plus mauvaises élèves de la classe de sport... J'ai battu tout le monde !

Enfin, je dois quand même l'admettre : c'est Truffe-Caramel, le vrai gagnant !

Je décide alors de ne rien dire à personne, au sujet de la bêtise de Précieuse et Perla. D'abord, je ne suis pas une rapporteuse ! Et puis, cela n'a plus aucune importance, j'ai retrouvé le chiot...

Un peu plus loin, la Reine Marjorie le serre fort contre elle pour qu'il ne s'échappe plus. Elle discute avec le Roi Édouard. Tout à coup, elle pointe l'index dans ma direction ! Oh, non ! C'est mauvais signe...

Pourtant, notre directeur l'écoute en souriant.

— Princesse Lucie ! J'aimerais vous parler ! m'appelle-t-il soudain.

Je m'approche à contrecœur... Il fronce les sourcils.

— Princesse ! En vous rendant complice de la Reine Marjorie, vous avez vous aussi désobéi au règlement de l'école. C'est très grave !

Je devrais redouter le pire, mais une étincelle brille au fond des yeux du roi... Comme s'il ne

m'en voulait pas tant que ça ! Je m'excuse quand même :

— Je suis désolée, Votre Majesté...

Alors, il explose de rire si fort que je sursaute !

— Je n'ai jamais vu personne courir comme vous, Princesse

Lucie ! Et tout ça pour rattraper un jeune chien indiscipliné ! C'est très drôle !

Je fixe mes pieds, embarrassée.

— Heu... C'est que j'adore les animaux...

— Et vous vous débrouillez très bien, remarque le roi. Continuez

donc à vous occuper de Truffe-Caramel avec la Reine Marjorie, en attendant qu'il retourne chez lui. Je vous autorise même à le promener demain matin avec vos camarades de la Chambre des Lys !

— On ne doit pas aider les autres à tout remettre en ordre, après la compétition ?

— Je vous en dispense exceptionnellement.

Hourra ! Quel bonheur ! Et je suis encore plus heureuse quand le Roi ajoute :

— Bien sûr, je vous rends les cinq Points Diadème que je vous ai enlevés tout à l'heure...

— Oh ! merci, Votre Altesse !

Je lui fais une belle révérence.

— Merci mille fois !

Il approuve de la tête.

— Affaire classée, Princesse Lucie ! Le Championnat d'Athlétisme Princier est terminé : maintenant, il faut se préparer pour le grand bal de ce soir !

Chapitre six

Pendant que nous enfilons nos robes de bal, nous bavardons gaiement. Mes amies me disent qu'elles ont été très étonnées quand elles m'ont vue arriver avec Truffe-Caramel sur la piste du Cent Mètres !

— La Reine Mère Matilda venait de donner le départ, précise Isabelle. Tu as même battu Charlotte, de la Chambre des Roses, la championne de course à pied de la Princesse Academy !

Je hausse les épaules en bâillant.

— Je ne me suis rendu compte de rien ! Je restais trop concentrée sur Truffe-Caramel. Je ne voulais pas le perdre de vue... N'empêche, maintenant, je suis épuisée !

Nous nous présentons peu après à la Salle de Bal. Et là, ma

fatigue s'envole d'un coup: c'est fantastique!

La décoration est somptueuse. De magnifiques lustres de cristal

scintillent au plafond. Les murs sont tendus de satin blanc brodé de dentelle dorée. Le trône royal finement sculpté s'élève sur une estrade près de l'orchestre. Fée Angora, Marraine Fée et la Reine Mère Matilda sont déjà ins-

tallées sur des fauteuils de velours.

Enfin, une trompette annonce l'arrivée du Roi Édouard. Il traverse la salle en brandissant devant lui une coupe en or. Il rejoint son trône, puis il se tourne vers l'assemblée :

— Bravo, mes chères Princesses. Le Championnat d'Athlétisme du Château de Nacre est une vraie réussite ! De nombreux records ont été battus cette année. Je suis fier de vous. Vous avez démontré qu'une « Princesse Modèle s'applique en toute circonstance » !

Nous nous inclinons.

— Le moment est venu de vous dévoiler le nom de l'équipe victorieuse ! ajoute-t-il en souriant. La compétition était très serrée. Vous étiez toutes *ex aequo* jusqu'à la dernière épreuve, celle du Cent Mètres, et remportée par une concurrente plutôt inattendue !

Alors, applaudissez nos gagnantes : les élèves de la Chambre des Lys ! Que Princesse Lucie monte sur l'estrade récupérer son trophée !

J'ai la tête qui tourne,

brusquement ! Mes amies crient de joie. J'avance vers le trône comme dans un rêve...

— Félicitations ! me lance le roi.

Il me tend la coupe et fait un signe à l'orchestre.

— Que le bal commence !

Nous passons une soirée

magnifique ! Magique ! Merveilleuse !

Je danse tellement qu'à la fin, je ne tiens presque plus debout !

Je monte me coucher et je me blottis dans mon lit. Quelle journée ! Le mieux, c'est que demain, je sors promener Truffe-Caramel avec mes amies...

Et tu sais ce qui serait parfait ?

Que tu nous accompagnes aussi !

FIN

Que se passe-t-il ensuite ?
Pour le savoir,
regarde vite la page suivante !

L'aventure continue à la Princesse Academy avec Princesse Inès !

Princesse Inès est impatiente : les élèves du Château de Nacre sont invitées au Musée de la Musique du Roi Rudolphe III.
Le clou de l'exposition : un Rossignol d'Or mécanique au chant merveilleusement mélodieux. C'est sûr, la visite sera magique ! Surtout que le Roi a demandé à son fils, le beau Prince Galant, de jouer les guides...

Pour connaître la date de parution de ce tome, inscris-toi à la newsletter du site :
www.bibliothequerose.com

Les as-tu tous lus ?

Retrouve toutes les histoires de la Princesse Academy dans les livres précédents.

Princesse Charlotte ouvre le bal

Princesse Katie fait un vœu

Princesse Daisy a du courage

Princesse Alice et le Miroir Magique

Princesse Sophie ne se laisse pas faire

Princesse Émilie et l'apprentie fée

Saison 2 : les Tours d'Argent

Princesse Charlotte et la Rose Enchantée

Princesse Katie et le Balai Dansant

Princesse Daisy et le Carrousel Fabuleux

Princesse Alice et la Pantoufle de Verre

Princesse Sophie et le bal du Prince

Princesse Émilie et l'Étoile des Souhaits

Saison 3 : le Palais Rubis

Princesse Chloé entre dans la danse

Princesse Jessica a un cœur d'or

Princesse Marie garde le sourire

Princesse Olivia croit au Prince Charmant

Princesse Maya fait le bon choix

Princesse Noémie n'oublie pas ses amies

Princesse Noémie et la Serre Royale

Princesse Olivia et le Bal des Papillons

Saison 4 : le Château de Nacre

Princesse Anna et Noires-Moustaches

Princesse Isabelle et Blanche-Crinière

Connecte-toi vite sur le site de tes héros préférés :

www.bibliothequerose.com

- Tout sur ta série préférée
- De super concours tous les mois

Table

« Pour l'éditeur, le principe est d'utiliser des papiers composés de fibres naturelles, renouvelables, recyclables et fabriquées à partir de bois issus de forêts qui adoptent un système d'aménagement durable. En outre, l'éditeur attend de ses fournisseurs de papier qu'ils s'inscrivent dans une démarche de certification environnementale reconnue. »

Imprimé en France par Jean-Lamour - Groupe Qualibris
Dépôt légal : août 2009
20.02.1852.5/01 – ISBN 978-2-01-201852-5
Loi n°49-956 du 16 juillet 1949
sur les publications destinées à la jeunesse